ANIFE

ANWES

Cwningen

Honor Head

Ffotograffau gan
Jane Burton

Addasiad
Elin Meek

GOMER

Cyhoeddwyd gyntaf ym Mhrydain yn 2000 gan
Belitha Press, argraffnod Chrysalis Books plc,
The Chrysalis Building, Bramley Road,
Llundain W10 6SP

Teitl gwreiddiol: *Rabbit (My Pet)*
Golygydd: Claire Edwards
Dylunydd: Rosamund Saunders
Arlunydd: Pauline Bayne
Ymgynghorydd: Frazer Swift

ISBN 1 84323 266 9

Cyhoeddwyd gan Wasg Gomer, Llandysul,
Ceredigion SA44 4QL, gyda chefnogaeth
Awdurdod Cymwysterau, Cwricwlwm
ac Asesu Cymru

Dymuna'r cyhoeddwyr gydnabod
cymorth Adran Olygyddol Cyngor
Llyfrau Cymru, Cathryn Clement
a Heulwen Harris

Argraffwyd yn China

Rhoddion caredig oddi wrth gwmni *Pets at Home*
yw'r nwyddau sydd i'w gweld yn y llyfr hwn.

Cynnwys

Fy nghwningen

Mae'n hwyl bod yn berchen ar dy gwningen dy hun.

Mae cwningod yn edrych yn annwyl iawn ac mae'n hwyl bod yn berchen ar un, ond rhaid gofalu'n dda amdanyn nhw.

Rhaid bwydo cwningen bob dydd. Bydd rhaid iti lanhau cwt y gwningen a gwneud yn siŵr ei bod hi'n hapus ac yn iach. Yn fwy na dim, cofia y gall dy gwningen fod gyda ti am lawer o flynyddoedd.

Dylai plant ifanc sydd ag anifeiliaid anwes gael eu goruchwylio bob amser gan oedolyn. Am ragor o nodiadau, gweler tudalen 32.

Mae sawl gwahanol fath o gwningod.

Mae ffwr hir, blewog gan rai cwningod. Mae angen brwsio'r rhain bob dydd.

Gall cwningen fawr, sydd wedi gorffen tyfu, fod yn rhy drwm i ti ei chodi. Mae angen mwy o le ar gwningen fawr ac mae'n bwyta mwy na chwningen llai o faint.

Mae clustiau hir, llipa gan gwningod clustlipa. Mae'n bwysig cadw eu clustiau nhw'n lân.

Mae rhai cwningod yn cael eu magu'n arbennig achos bod marciau, fel smotiau a blotiau, ganddyn nhw. Mae gan rai glustiau, wynebau a thraed o liw gwahanol.

Corgwningen yw'r gwningen hon. Mae cwningod bach yn haws i'w codi ac maen nhw'n bwyta llai na chwningod mawr.

Pan fydd cwningod bach yn cael eu geni ni allan nhw wneud dim drostynt eu hunain.

Pan fydd cwningen yn feichiog mae hi'n defnyddio ffwr oddi ar ei bol i wneud nyth meddal i'w chwningod bach.

Nid yw'r fam yn edrych yn feichiog tan tua wythnos cyn i'r cwningod bach gael eu geni. Rho fwy o fwyd a diod iddi, ond paid â chyffwrdd â hi.

Mae cwningod fel arfer yn cael tua phump o rai bach, ond gall rhai cwningod gael cymaint â deg ohonyn nhw.

Nid oes ffwr gan gwningod bach sydd newydd eu geni. Ni allan nhw weld na chlywed. Gad lonydd iddyn nhw nes y byddan nhw o leiaf dair wythnos oed.

Mae cwningod yn tyfu'n gyflym iawn.

Pan fydd cwningod bach yn ifanc iawn, paid â'u codi nhw na chyffwrdd â nhw.

Pan fydd y gwningen fach yn dair wythnos oed, bydd ei holl ffwr wedi tyfu. Bydd ei llygaid yn llydan agored a bydd hi'n gallu rhedeg a neidio.

Mae ffwr cwningen fach yn dod i'r golwg pan fydd yn bedwar diwrnod oed. Mae'n agor ei llygaid pan fydd tua wythnos oed.

Mae'r cwningod bach yn dod o hyd i laeth eu mam drwy arogli. Sugno yw'r gair am yfed llaeth y fam.

Mae cwningen fach yn ddigon hen i adael ei mam pan fydd tua wyth wythnos oed.

Mae angen cwt cysurus ar dy gwningen i fyw ynddo.

Bydd angen cael cwt cwningen yn barod i'r gwningen newydd. Dylai fod dwy ran i'r cwt, un i ti allu gweld i mewn iddi a'r rhan arall ynghau er mwyn i'r gwningen gael heddwch i gysgu.

Hefyd bydd angen potel ddŵr a phowlen fwyd ar dy gwningen.

Os yw'r cwt y tu allan, gwna'n siŵr ei fod wedi ei godi fel nad yw e'n mynd yn wlyb. Rhaid i'r gwningen cael cysgod rhag yr haul, y glaw a'r gwynt.

Rho bapur newydd a blawd llif neu siafins pren dros lawr y cwt. Rho ddigonedd o wair lle bydd y gwningen yn cysgu.

Rho gwt mawr (o'r enw libart) yn yr ardd i'r gwningen. Gwna'n siŵr fod y libart yn gryf ac nad oes modd i'r gwningen ei droi drosodd. Symud e bob hyn a hyn er mwyn i'r gwningen gael porfa ffres i'w bwyta.

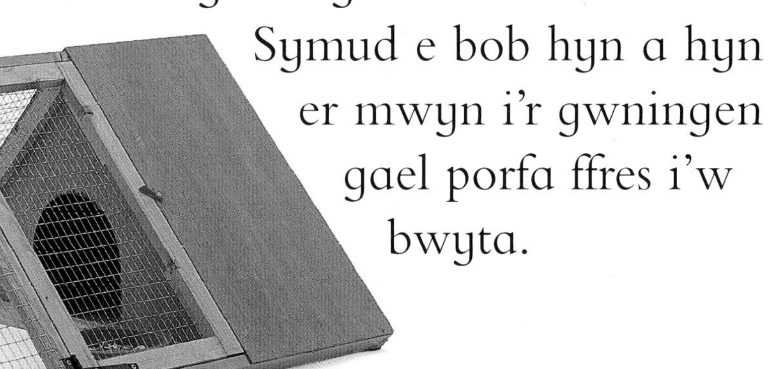

Bydd dy gwningen yn hoffi cael ei dal.

Efallai bydd dy gwningen yn dy ofni di i ddechrau. Gad hi yn ei chwt am ddiwrnod cyn iti ei chodi. Yna tynna dy law yn dyner dros y gwningen er mwyn iddi ddod yn gyfarwydd â ti.

Siarada'n dawel â hi er mwyn iddi ddod yn gyfarwydd â sŵn dy lais. Tynna dy law drosti yn y cyfeiriad y mae ei ffwr yn tyfu.

Eistedda neu benlinia
i godi dy gwningen. Rho
un llaw o dan ei brest,
y tu ôl i'w choesau blaen.
Defnyddia dy law arall i
godi ei phen-ôl. Paid byth
â gwasgu dy gwningen
na'i chodi hi gerfydd ei
chlustiau.

Os yw dy gwningen yn
gwingo, rho hi i lawr yn
ofalus. Gosoda ei thraed
ôl ar y llawr gyntaf.
Paid byth â gollwng
dy gwningen rhag ofn
iddi gael niwed.

Rwyt ti'n gallu hyfforddi dy gwningen.

Os wyt ti'n gadael i dy gwningen redeg o gwmpas yn y tŷ, dysga hi i ddefnyddio bocs baw. Gwylia lle mae hi'n mynd i'r toiled, a gadael y bocs yn y fan honno.

Rhaid gwacáu'r bocs baw bob dydd. Golcha fe gyda dŵr cynnes a diheintydd arbennig unwaith yr wythnos. Gwisga fenig rwber pan fyddi di'n gwneud hyn.

Os yw dy gwningen yn gwneud rhywbeth na ddylai ei wneud, fel ceisio dy gicio di, dwed 'na'. Paid â tharo dy gwningen. Pan fydd hi'n rhoi'r gorau i fod yn ddrwg, rho rywbeth i'w fwyta iddi.

Dysga dy gwningen i ddod atat ti. Penlinia ar y llawr a chynnig darn o fwyd iddi. Arhosa i'r gwningen ddod at y bwyd. Paid byth â rhedeg ar ei hôl.

Mae dy gwningen yn hoffi bwyta ar adegau cyson.

Rho bryd bwyd o gymysgedd arbennig i gwningod iddi bob bore. Gyda'r nos rho lysiau a ffrwythau iddi, fel afalau, bresych neu foron.

Rho'r bwyd mewn powlen drom, fel nad oes modd i'r gwningen ei throi drosodd. Golcha fwyd ffres bob amser a'i dorri'n ddarnau mân. Cliria unrhyw hen fwyd.

Gwna'n siŵr fod digon o ddŵr gan dy gwningen. Pryna botel ddŵr arbennig a gwna'n siŵr ei bod hi'n llawn dŵr ffres drwy'r adeg.

Dylai dy gwningen gael digonedd o wair i'w gnoi yn ystod y dydd.

Mae cwningod hefyd yn mwynhau panas a seleri. Os wyt ti'n gallu, casgla ddail meillion neu ddant y llew iddi.

Cadwa gwt y gwningen yn lân.

Cliria faw y gwningen
ac unrhyw siafins
pren gwlyb
bob dydd.

Glanha'r cwt unwaith yr wythnos – yn amlach pan fydd y tywydd yn boeth. Tafla'r hen wair ac ysgubo'r cwt. Rho wair a siafins pren glân ynddo.

Bob pythefnos, glanha'r cwt yn dda.
Rho dy gwningen mewn lle diogel.
Golcha'r cwt gyda dŵr a sebon
a'i chwistrellu gyda diheintydd
arbennig o siop anifeiliaid anwes.

Golcha'r botel ddŵr o leiaf
unwaith yr wythnos.
Defnyddia frwsh potel
y gelli ei brynu o siop
anifeiliaid anwes.

Bydd dy gwningen eisiau chwarae.

Bydd angen digon o ymarfer ar dy gwningen. Bydd hi'n mwynhau chwilota o gwmpas yr ardd neu yn y tŷ.

Os yw dy gwningen yn rhedeg o gwmpas yn y tŷ, cadwa'r drysau a'r ffenestri ar gau. Dylet aros yn yr ystafell bob amser gyda'r gwningen pan fydd hi'n chwilota.

Mae cwningod yn chwilfrydig iawn. Mae'n syniad da i adael bocsys neu fasgedi fan hyn a fan draw i'r gwningen gael chwarae ynddyn nhw.

Paid â gadael iddi gnoi unrhyw wifrau neu geblau. Gwna'n siŵr fod pethau miniog, fel sisyrnau neu binnau, allan o'i chyrraedd.

Gwna'n siŵr fod dy gwningen yn iach.

Mae'r rhan fwyaf o gwningod yn cadw eu ffwr eu hunain yn lân ac yn iach. Ond maen nhw hefyd yn hoffi cael eu brwsio.

Defnyddia frwsh meddal a brwsia dy gwningen o'i phen hyd at ei chynffon. Brwsia o dan gorff dy gwningen yn dyner i dynnu unrhyw wair sy'n sownd yn ei ffwr.

Bydd angen blocyn mwynau i'r gwningen ei gnoi. Bydd hyn yn ei chadw'n iach.

Rho foncyff neu ddarn o bren i'r gwningen ei gnoi fel nad yw ei dannedd yn tyfu'n rhy hir.

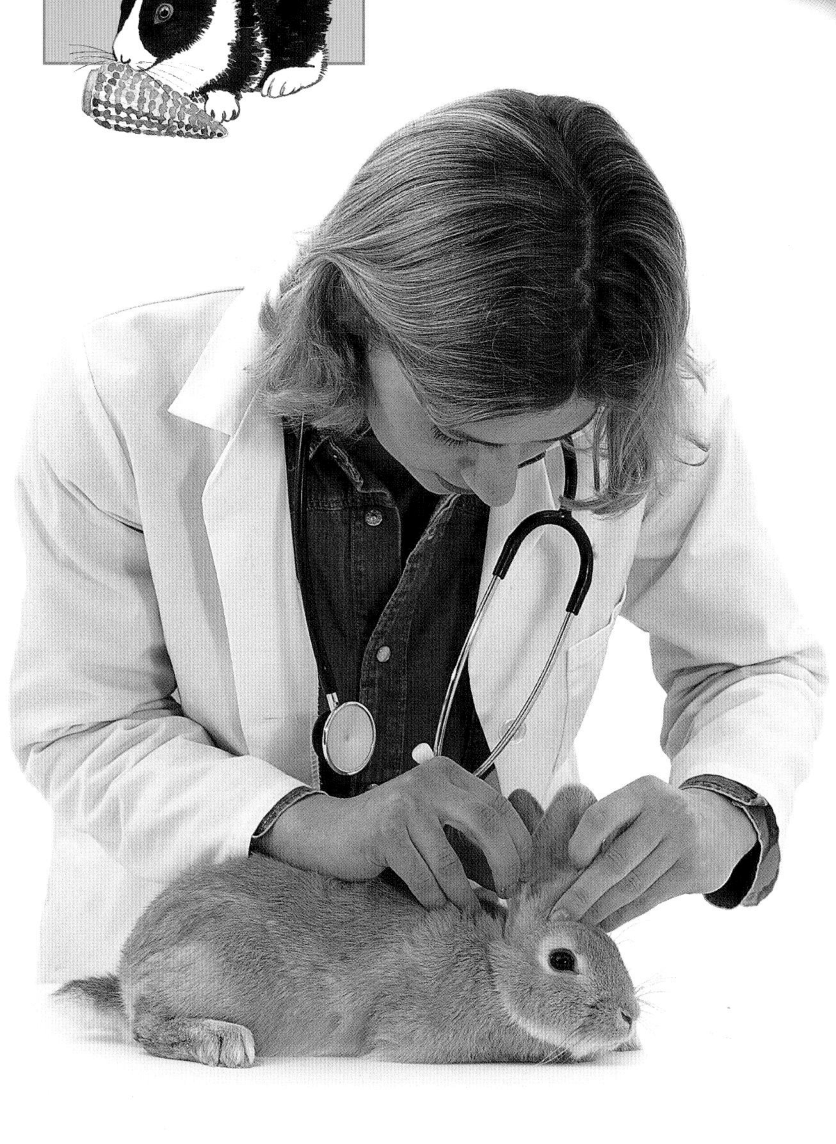

Edrycha'n ofalus ar dy gwningen bob dydd. Os yw ei ffwr yn bŵl, os yw ei llygaid, ei thrwyn neu ei chlustiau'n rhedeg, neu os oes anhwylder ar ei stumog, cer â hi at y milfeddyg cyn gynted â phosibl.

Bydd angen ffrind ar dy gwningen.

Yn y gwyllt, mae cwningod yn byw mewn grwpiau, felly bydd dy gwningen yn mwynhau cwmni ffrind. Mae cwningod benyw o'r un torllwyth yn gwneud pâr perffaith.

Mae cwningod a moch cwta'n ffrindiau da os ydyn nhw'n cwrdd pan fydd y ddau'n ifanc. Ond gwna'n siŵr fod digon o le iddyn nhw yn y cwt.

Paid â rhoi cwningen fenyw gydag un gwryw sydd heb gael ei ysbaddu. Byddan nhw'n cael llawer o rai bach a fyddi di ddim yn gallu gofalu amdanyn nhw i gyd.

Mae cwningod yn gallu bod yn ffrindiau â chathod neu gŵn os ydyn nhw'n cwrdd pan fyddan nhw'n ifanc iawn. Fel arfer dylet ti gadw cathod a chŵn draw oddi wrth y gwningen.

Gall cwningen fyw am wyth mlynedd neu fw

Gall cwningod fyw am hyd at 12 mlynedd. Wrth iddi fynd yn hŷn, gwna'n siŵr ei bod hi'n bwyta'n iawn. Gad iddi gysgu mwy os yw hi eisiau gwneud hynny, a helpa hi i gadw ei ffwr yn lân.

Wrth i gwningod fynd yn hŷn mae eu crafangau'n gallu tyfu'n rhy hir. Gall milfeddyg eu torri nhw i ti.

Fel pobl, mae cwningod yn mynd yn hen ac ymhen amser yn marw. Os yw dy gwningen yn hen iawn neu'n sâl, gall fod yn fwy caredig i adael i'r milfeddyg ei difa hi.

Efallai y byddi di'n teimlo'n drist pan fydd dy gwningen yn marw, ond byddi di'n gallu edrych yn ôl a chofio'r holl hwyl gawsoch chi gyda'ch gilydd.

Geiriau i'w cofio

bocs baw
Toiled y gwningen.

cwt
Enw'r cartref lle mae'r gwningen yn byw.

libart
Cwt hir wedi ei wneud o weiren a phren, lle gall cwningen chwarae y tu allan.

milfeddyg
Meddyg i anifeiliaid.

sugno
Pan fydd cwningen fach yn yfed llaeth y fam, mae hi'n sugno.

torllwyth
Nifer o rai bach wedi eu geni yr un pryd. *Litter.*

ysbaddu
Pan fydd anifeiliaid wedi cael eu hysbaddu, maen nhw wedi cael llawdriniaeth fel nad ydyn nhw'n gallu cael rhai bach.

Mae cwningod yn tyfu'n gyflym.

Wythnos oed.

Tair wythnos oed.

Wyth wythnos oed.

Mynegai

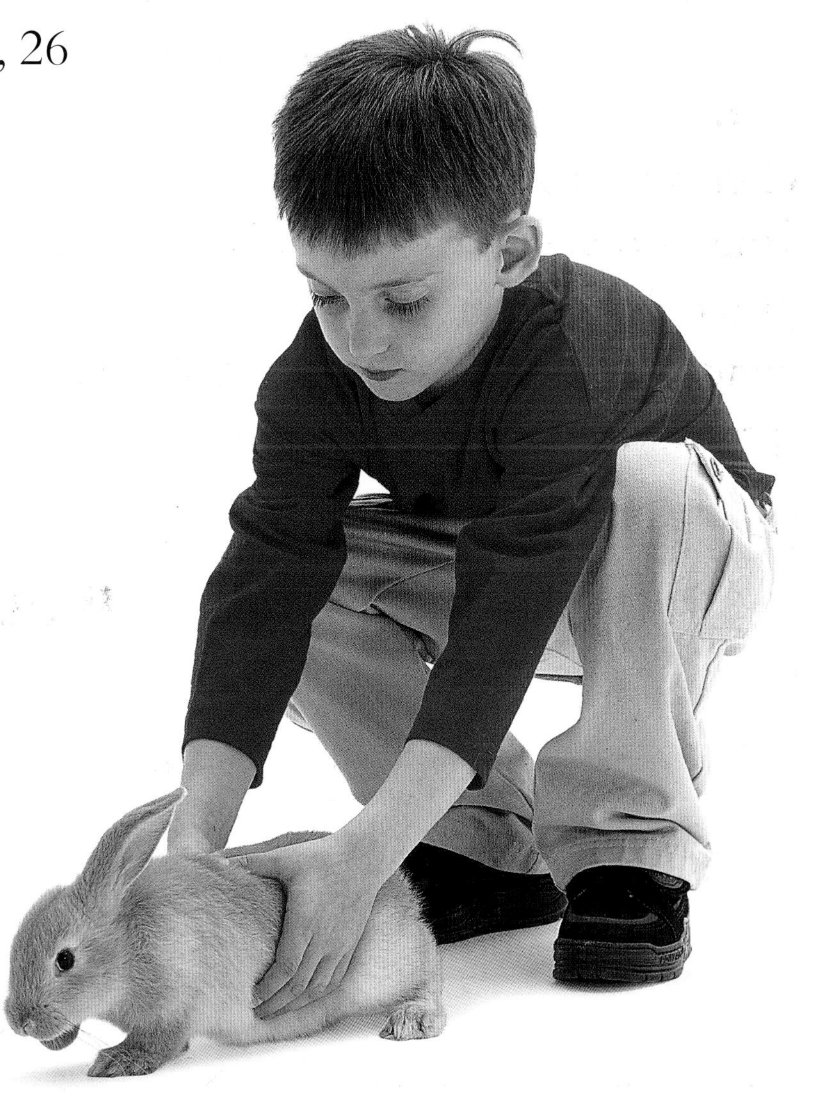

Nodiadau i rieni

Bydd cwningen yn rhoi llawer iawn o bleser i chi a'ch teulu, ond mae'n gyfrifoldeb mawr. Os ydych chi'n penderfynu prynu cwningen i'ch plentyn, bydd angen i chi wneud yn siŵr ei bod hi'n iach, yn hapus ac yn ddiogel. Byddwch hefyd yn gorfod gofalu amdani os yw hi'n dost. Os yw'ch plentyn o dan bum mlwydd oed bydd yn rhaid i chi ei oruchwylio wrth iddo ofalu am y gwningen. Eich cyfrifoldeb chi fydd gwneud yn siŵr nad yw eich plentyn yn gwneud niwed i'r gwningen a'i fod yn dysgu ei trin yn gywir.

Dyma rai pwyntiau eraill i'w hystyried cyn ichi benderfynu bod yn berchen ar gwningen:

- Gall rhai cwningod fod yn ddrwg eu hwyl ac maen nhw'n gallu cnoi, cicio a chrafu. Dewiswch eich cwningen yn ofalus. Mae corgwningod yn haws i blant ofalu amdanynt.
- Gall cwningen fyw am 12 mlynedd ac mae'n costio arian i'w bwydo a'i hysbaddu. Wrth iddi heneiddio, efallai bydd rhaid ichi dalu biliau milfeddygon.
- Pan fydd eich cwningen yn flwydd oed dylech fynd â hi at y milfeddyg. Gall y milfeddyg roi pigiad iddi rhag clefydau difrifol.
- Pan fyddwch chi'n mynd ar wyliau, bydd rhaid ichi wneud yn siŵr bod rhywun yn gallu gofalu am eich cwningen.
- Oni bai eich bod yn magu cwningod, dylai cwningod benyw a gwryw gael eu hysbaddu.
- Mae'n well cadw dwy gwningen gyda'i gilydd. Mae dwy gwningen fenyw o'r un torllwyth yn ddelfrydol, ond gallech gadw un fenyw ac un gwryw o'r un torllwyth gyda'i gilydd os yw'r un gwryw wedi cael ei ysbaddu. Gallech gadw dau wryw o'r un torllwyth, ond bydd rhaid eu hysbaddu fel nad ydyn nhw'n ymladd.
- Os oes gennych anifeiliaid anwes eraill, a fydd y gwningen yn ffrindiau â nhw?
- Ni ddylai cwningod sy'n cael eu bwydo ar y bwyd cyflawn diweddaraf gael ychwanegion mwynau oni bai fod milfeddyg yn cynghori hynny'n benodol.

Cyflwyniad i ddarllenwyr ifainc yw'r llyfr hwn yn bennaf. Os oes gennych unrhyw ymholiadau manwl ynglŷn â sut i ofalu am eich cwningen, gallwch gysylltu â'r *PDSA (People's Dispensary for Sick Animals)* yn Whitechapel Way, Priorslee, Telford, Sir Amwythig/ Shropshire TF2 9PQ.
Rhif ffôn: 01952 290999.